G000155854

Bella, la timide pas si timide

Loi n° 49-956 du 16 juillet 1949 sur les publications destinées à la jeunesse,
modifiée par la loi n° 2011-525 du 17 mai 2011.
ISBN : 978-2-09-254895-0
N° éditeur : 10195921 – Dépôt légal : avril 2014
Achevé d'imprimer en février 2014 par Pollina (85400 Luçon, France) - L67680

SUSIE MORGENSTERN

la famille trop d'filles

Bella, la timide pas si timide

Illustrations de Clotka

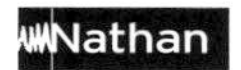

2
The Organ King
entrée
salade
plat :
saumon et frites maison

un

BELLA A UN SECRET. Avant d'être un secret, c'était juste une idée qui lui trottait dans la tête. Une idée que lui a soufflée Grand-Mère Léo sans le savoir… Il y a quelques semaines, Billy était absent, et bien sûr les parents aussi. Grand-Mère Léo est venue faire la garde d'enfants avec Grand-Père Mimi, et ils se sont installés dans l'îlot sacré de l'appartement : la chambre des parents.

C'est quand Billy est revenu que Bella a eu son idée de génie : pourquoi partager sa chambre avec toutes ses sœurs, alors que celle de ses parents reste vide dès qu'ils repartent courir le monde ? Quel gâchis !

Depuis ce jour-là, Bella ne peut se retenir de penser à cette chambre qui ne sert à rien quand son père et sa mère n'y sont pas. Ce serait vraiment l'endroit idéal pour lire et écrire tard dans la nuit ! Mais Bella ne trouve pas le courage de passer à l'acte. Comme pour tant d'autres choses qu'elle aimerait faire ou dire, sans jamais oser.

Si seulement elle osait… elle chuchoterait à Billy : « Je t'aime ! »

Et elle balancerait à sa chérie, l'horrible Mary Jane : « Espèce de bécasse, bêtasse, feignasse ! »

Elle s'en prendrait aussi à son père et sa mère, trop souvent absents. Elle leur

demanderait : « Alors c'est ça pour vous, être parents ? Abandonner ses enfants à un jeune Irlandais qui ne sait même pas parler français correctement ? »

Et puis elle ordonnerait à cette peste de Zoé d'arrêter de copier sur elle en classe. Elle expliquerait aussi à Anna qu'elle est trop autoritaire, à Cara et Dana qu'elles prennent trop de place, à Elisa qu'il faut qu'elle arrête de piétiner tout le monde avec ses pirouettes ratées, à Flavia que ce n'est pas facile de vivre avec quelqu'un qui est toujours de mauvaise humeur, et à Gabriel qu'elle ne veut plus l'entendre tousser toute la nuit, même si ce n'est pas sa faute.

Seulement voilà : elle n'aura jamais le courage de dire tout ça. Oh, si seulement elle osait ne serait-ce que lever la tête pour répondre au bonjour des voisins !

La voix de la maîtresse tire Bella de ses rêveries :

– Aujourd'hui, pour votre exercice d'expression écrite, je vous propose de travailler sur le mot « oser ».

Tiens ! On dirait qu'elle a lu dans ses pensées. Bella écrit d'un jet un poème qui ne lui ressemble pas, comme si elle laissait parler la fille qu'elle rêve de devenir :

Pour ne pas exploser,
Pour vivre pleinement,
Pour ne pas simplement suivre
le mouvement,
Allez-y ! Lâchez-vous ! Osez !
Il faut avoir confiance en soi.
Il faut se montrer sûr et fort.
Il faut croire que vous n'avez pas tort.
Criez « MOI ! » avec beaucoup de joie.
Vous avez un but.
Faites un pas, puis deux et puis trois,
Sans vous arrêter pour vous demander
pourquoi.
Sans trop de zut !, continuez la lutte.
Pour vivre !

La maîtresse lit le poème de Bella à voix haute. Elle ne peut s'empêcher d'écarquiller les yeux. Elle n'a rien à reprocher à la qualité du travail de son élève, mais cette fois elle ne la reconnaît pas dans ces mots. Comme si la deuxième des enfants Arthur exprimait ses désirs plutôt que la réalité.

Entendre son poème lu par quelqu'un d'autre fait un drôle d'effet à Bella. D'abord, elle se sent bien hypocrite et donneuse de leçons. Puis elle commence à avoir honte. Tellement honte qu'elle décide qu'il est temps de se montrer à la hauteur de ce qu'elle a écrit. *Allez-y ! Lâchez-vous ! Osez !...* C'est décidé, cette fois, elle va se lancer !

Le soir, sans rien dire, quand toutes ses sœurs sont endormies, Bella se glisse dans la chambre de ses parents. Elle est tellement bien dans ce grand lit, toute seule sous la couette, flottant sur un nuage de bien-être, qu'elle n'ouvre même pas son livre et laisse reposer son stylo. Elle s'endort presque aussitôt.

deux

BELLA AURAIT PU DORMIR toute la journée, si le remue-ménage matinal de la maisonnée ne l'avait pas réveillée. Elle se dépêche de faire le lit exactement comme il était la veille et sort de la chambre avant qu'une de ses sœurs ne découvre son secret. Elle aide à servir le petit déjeuner avec zèle, et elle propose d'accompagner Gabriel à la maternelle, alors que ce n'est même pas son tour.

Elle arrive parmi les premiers dans la cour de l'école, avec Zoé. Mais elle a déjà hâte que la nuit tombe pour regagner son lit de princesse.

Bella adore aller à l'école, travailler et faire ses devoirs. Le problème, c'est qu'il faut aussi répondre aux questions en classe et parler avec les autres. Et même pendant la récréation, pas moyen d'être tranquille : Zoé s'accroche à elle, alors qu'elle voudrait juste lire toute seule dans son coin.

Aujourd'hui, elle n'a pas de chance : la déléguée de classe est absente et la maîtresse la choisit comme remplaçante. « Pourquoi moi ? » se demande aussitôt Bella.

Et comme si ce n'était pas suffisant, la maîtresse lui demande d'apporter un papier important au directeur. Bella a terriblement peur de lui… Mais impossible de refuser. Alors, elle essaie de se donner du courage.

Dans sa tête, elle se répète : « Je vais y arriver. Il n'y a pas de quoi avoir peur. »

Tout ira bien si le directeur ne la traite pas encore de « rouquine », ou de « membre de la tribu Arthur », et s'il ne l'appelle pas « notre poète national », ce qui lui fait perdre ses moyens.

Bella s'arme d'un sourire, se redresse et s'élance d'un pas assuré.

« Je peux le faire, je peux le faire, je peux le faire ! »

Au détour d'un couloir, elle croise Cara. Sa maîtresse l'a mise dehors.

– Tu es arrivée en retard ? lui demande Bella.

– Non. Je n'ai pas écouté la leçon.

Bella est partagée entre l'envie de consoler sa sœur et celle de la gronder, quand une grosse voix la fait sursauter. C'est le directeur !

– Tiens ! Que manigance donc la tribu Arthur ?

– Je suis punie, avoue Cara.

– Comme d'habitude ! s'exclame le directeur. Et toi, la rouquine ?

Bella reste bouche bée. Elle a l'impression d'avoir été envoyée en mission suicide ! Elle s'en tire en tendant au directeur le papier que lui a confié sa maîtresse.

– Bien. Notre poète national peut retourner dans sa classe.

Bella rougit, mais ce n'est pas grave : elle a réussi !

6

La journée se déroule ensuite comme tant d'autres, sans héroïsme et sans exploits.

Mais le soir, Billy demande à Bella d'aller rendre un pot de crème fraîche rance à l'épicerie. Elle panique : c'est au-dessus de ses forces !

– Je ne cuisiner pas sans crème, insiste Billy. *Go fast !*

Dans la queue à l'épicerie, Bella a l'impression de se retrouver jetée dans la fosse aux lions, comme au temps de la Rome antique. Quand son tour arrive, elle se cramponne au pot de crème fraîche, inspire un grand coup, mais ses lèvres ne veulent même pas s'ouvrir pour laisser passer ses paroles. Heureusement, l'épicier comprend très vite. Il prend le pot, l'ouvre et le renifle.

– Pouah ! La crème a tourné ! Je vais te l'échanger.

Il lui donne un autre pot, mais il n'a même pas le temps de lui demander si elle a besoin d'autre chose que Bella s'est déjà enfuie. Elle savoure cette nouvelle petite victoire, même si elle n'a pas dit un mot. Elle pense qu'aujourd'hui elle a bien mérité de dormir dans sa chambre secrète.

Dès que ses sœurs sont endormies, Bella se lève et file sur la pointe des pieds dans la chambre de ses parents. Elle ferme la porte doucement pour ne pas la faire grincer, allume la lampe de chevet et sort le livre qu'elle avait laissé sous l'oreiller. Quel bonheur ! Pas de couvre-feu, personne pour lui dire d'éteindre ou l'empêcher de finir son livre. Mais du coup, quand elle tourne la dernière page, elle ne se rend pas compte qu'il est trois heures du matin !

trois

QUAND LA MUSIQUE familiale reprend, le lendemain, Bella a du mal à s'arracher à la couette. Encore endormie, elle fait les lits de son nouveau refuge et de sa chambre comme une somnambule. Elle est tellement fatiguée qu'elle fonctionne en pilote automatique. Elle traîne pour se laver, s'habiller et prendre le petit déjeuner, se fait gronder parce qu'elle met aussi du temps pour débarrasser la table. Et en plus, il faut qu'elle parte plus tôt parce que c'est son tour d'amener Gabriel à la maternelle, même si elle l'a déjà fait la veille !

En arrivant à son école, Bella voit repartir la grande voiture du chauffeur de Zoé. Zoé a l'air de l'attendre. La pauvre… Elle voudrait tellement devenir sa meilleure copine ! Mais Bella a déjà tout ce qu'il lui faut comme sœurs copines à la maison. Et puis Zoé est aussi exubérante que Bella

est timide : elle parle fort, elle a des idées bizarres, elle s'habille avec des couleurs pétantes et lève tout le temps la main en classe alors qu'elle ne connaît jamais les bonnes réponses. Il faut dire qu'elle ne fait pas ses devoirs… N'empêche qu'elle se plante devant Bella en souriant jusqu'aux oreilles, un petit paquet entre les mains.

– Tiens ! C'est pour toi !

Bella est gênée : les amis, ça ne s'achète

pas avec des cadeaux. Mais elle ne peut pas non plus refuser. Elle ouvre le paquet. Oh ! Des chaussettes extravagantes, comme celles de Zoé ! Elle a dû remarquer qu'elles lui plaisaient beaucoup. Bella sent que ses sœurs vont être jalouses… Elle chuchote un timide merci.

– Tu prends le goûter chez moi cet après-midi ? lui propose Zoé.

– Je ne peux pas, c'est mon jour de Gabriel.

– On ira le chercher ensemble. Il n'a qu'à venir goûter avec nous.

– Il faut que je prévienne d'abord…

Zoé lui tend aussitôt son téléphone portable.

– C'est trop tôt pour Billy, et mes sœurs sont à l'école.

– Ben, justement, tu peux les prévenir tout de suite !

Bella ne veut pas, mais elle ne sait pas

dire non. Alors, elle suit sa camarade, qui annonce à Cara :

– Bella vient chez moi après l'école. Tu peux aller chercher Gabriel à sa place ?

Bella fait non de la tête, mais sa sœur ne la voit pas.

– Oui, pas de problème, répond Cara, qui pense rendre service à son aînée.

– Merci ! s'exclame Zoé, ravie.

Bella a le moral dans les chaussettes : elle n'a pas du tout envie d'aller chez Zoé. Qu'est-ce qu'elle va bien pouvoir faire avec cette fille avec qui elle n'a rien en commun ?

À l'heure de la sortie, Zoé lui annonce :

– Anshu, mon chauffeur, m'a appelée. Il ne peut pas venir nous chercher. On rentre toutes seules.

Bella traîne des pieds et sa camarade doit la tirer par la main pour la faire avancer.

– Je sais comment rendre le trajet plus amusant, déclare Zoé. Dès qu'on croise un passant, on lui crie « *Buongiorno !* ».

« Oh non, pas ça ! » pense Bella.

Pourtant, Zoé sait bien qu'elle est extrêmement timide ! On dirait qu'elle fait exprès de lui lancer ce défi. Sa camarade lui envoie un coup de coude dans les côtes avec un « *Buongiorno !* » tonitruant. Bella marmonne en fixant ses chaussures.

– Plus fort ! lui ordonne Zoé. Et lève ta tête ! Il faut regarder les gens dans les yeux.

Bella obéit et lance ses premiers « *Buongiorno !* », très mal à l'aise. Mais au bout de vingt fois, elle s'écrie :

– Ça suffit ! C'est idiot, comme jeu.

– De toute façon, nous sommes arrivées à la maison.

La « maison » ressemble plutôt à un château, très joli, avec un jardin bien entretenu. Pour le goûter, Diba, la cuisinière qui vient d'Inde, a préparé un festin. Ça tombe très bien, car l'audace de Bella lui a ouvert l'appétit.

Entre deux bouchées, elle demande à Zoé si elle a des frères et sœurs.

– Plein. Mais ils sont tous plus vieux que moi et ne vivent pas ici. Mon père a eu quatre enfants, de trois femmes différentes. Puis il a rencontré ma mère, qui en avait déjà deux. Ils ont eu envie d'en faire un ensemble, et je suis arrivée !

– Alors, ta famille est aussi grande que la mienne.

– Mais je ne vois pas souvent mes frères et sœurs. Ni mes parents !

– Moi non plus : mes parents ne sont presque jamais à la maison !

Les deux filles éclatent de rire.

– Pas besoin parents ! commente Diba.

Tiens ! Encore un point commun entre les deux filles : elles sont gardées par des étrangers qui font des fautes de français.

– On se met à nos devoirs ? propose Bella après le goûter.

– Quelle drôle d'idée ! Il y a mieux à faire dans la vie. On a assez travaillé pour aujourd'hui !

Et elles rient de plus belle, comme si elles avaient avalé de la poussière à rigoler. Mais Bella, qui a l'habitude de faire travailler ses sœurs, insiste :

– Les devoirs d'abord. Comme ça, tu connaîtras les réponses aux questions et tu n'auras pas besoin de copier sur moi, pour une fois.

– Mais tu es mon amie ! En quoi ça te gêne

que je profite de ton cerveau supérieur ?

– Ton cerveau vaut bien le mien ! Tu es juste plus paresseuse…

– Tu crois ?

– Bien sûr !

quatre

LA CHAMBRE DE ZOÉ est trois fois plus grande que celle que Bella partage avec ses cinq sœurs. Les filles se mettent au travail en essayant de ne pas se laisser distraire par la télé, l'ordinateur, les DVD, la console de jeux et tout ce que les parents de Zoé lui ont acheté. La nouvelle copine de Bella a du mal à rester concentrée : elle ne pense qu'à s'amuser. Elles arrivent malgré tout à finir leurs devoirs.

Bella dévore la bibliothèque des yeux. Elle demande à son amie si elle peut emprunter quelques livres.

– Tu peux tous les prendre ! Je n'aime pas lire !

– Seulement RIRE ! la taquine Bella.

Bella n'en revient pas de se sentir aussi bien avec cette fille si différente d'elle.

– Avant que tu partes, puisque j'ai fait TES devoirs, à moi de t'en donner, déclare Zoé.

Elle rédige une liste pour Bella.

1. Faire la bise à la maîtresse en entrant dans la classe.

2. Lui dire « Joyeux anniversaire ! ».

3. Téléphoner à un numéro pris au hasard dans l'annuaire pour essayer de vendre un papetch.

– Un quoi ? s'étonne Bella.

– On s'en fiche, ça n'existe pas, répond sa copine. C'est juste pour s'amuser.

– Tu parles de devoirs ! Ce ne sont que des bêtises !

– L'art de la bêtise, ça s'apprend, ma chère !

– Ça n'a rien à voir avec l'art ! Une bêtise est une bêtise, proteste Bella.

– Mais c'est pour t'aider ! Toi, tu me guéris de ma paresse, et moi, je te guéris de ta timidité.

Bella empoche l'ordonnance du Dr. Zoé contre la timidité. Elle n'a pas vu le temps passer : il est déjà l'heure de rentrer.

Anshu la reconduit chez elle, où tout le monde s'étonne du petit air téméraire et du sourire coquin de cette fille d'habitude si discrète.

Bella a toujours le sourire aux lèvres lorsqu'elle se couche avec *Le Jardin secret* de Frances Burnett[1]. Elle aime tellement ce roman qu'elle essaie de ne le lire que par petits bouts, pour faire durer le plaisir.

1. Dans ce roman du début du XXe siècle, Mary, l'héroïne, vit sans ses parents et passe son temps dans un jardin secret dont elle seule possède la clé.

Quand elle ferme son livre, étendue dans le grand lit de ses parents, elle savoure ce bien-être qui l'enveloppe des pieds à la tête.

Le lendemain, quand Bella lui fait la bise, suivie d'un « Joyeux anniversaire ! », la maîtresse est sans voix.

– Mais ce n'est pas mon anniversaire, Bella !

– Il ne faut pas lui en vouloir ! lance Zoé. C'est moi qui lui ai fait une blague !

Et l'institutrice n'en revient pas non plus que Zoé ait fait ses devoirs et connaisse les réponses aux questions.

Bella est heureuse de retrouver sa nouvelle copine à la récré. Elles se félicitent l'une l'autre.

– Finalement, dit Zoé, c'est plutôt bien d'être préparé, même si on n'aime pas travailler. Et toi, bravo ! Tu as été très courageuse ! Tu as essayé de vendre le papetch ?

– Non, je peux pas ! On n'a qu'un téléphone pour huit à la maison, alors pas question de le monopoliser.

– Deux bêtises sur trois, c'est déjà pas mal.

C'est vrai qu'en matière de bêtises et d'audace Bella a déjà fait beaucoup de progrès ! Grâce à sa chambre secrète et à Zoé, elle s'est enfin mise à oser.

cinq

UN MATIN, Bella sent qu'elle n'est plus seule dans le lit de ses parents. Elisa joue les Belles au bois dormant à côté d'elle. Sa grande sœur lui demande de ne pas en parler aux autres.

Une nouvelle nuit apporte une nouvelle surprise : Flavia, avec deux doudous.

– Tu ne dis rien aux autres, la supplie Bella.

Mais elle ne se fait pas trop d'illusions.

Elle sait qu'il faudra bientôt renoncer à sa chambre de rêve.

Un rêve se réalise brièvement la nuit…
Et puis voilà il passe et s'en va.
Ainsi les rêves s'enfuient,
On peut se souvenir d'eux, ou pas.
Un rêve est une étoile filant dans le ciel,
Il s'éteint quand vient le matin.
Ainsi finit la lune de miel,
Et il faut retrouver son destin.

Une à une, nuit après nuit, toutes les sœurs prennent d'assaut le grand lit des parents, toujours absents.

Toutes, sauf Bella. Elle en profite pour retourner dans son ancienne chambre, où elle a désormais six lits, six matelas, six paires de draps, six oreillers et six couettes pour elle toute seule !

Mais jusqu'à quand ?…